FREE YOUR MIND

A Self-Care and Mindfulness Activity Book

Coloring pages • Word Searches • Journal Prompts
Sudoku + Bonus Cross Word Puzzle

By Ayana Shepherd, MSW

Printed in the United States of America

First Printing, 2020

ISBN 978-0-578-78378-9

www.selfcareadvocay.com

Ayana Shepherd, MSW

As we take on the many task that life throws at us, we often find it difficult to do the things we love. We may be busy taking care of other people or working multiple jobs which may cause you to neglect your own needs. I will speak for myself. I know this feeling all too well. As a Social Worker, that also wears multiple hats in both my professional and personal life, I found myself putting off the things that I needed to do to take care of myself, the things I found enjoyable, and the activities that brought me peace of mind. Today, I am advocating for myself and others to engage in self-care. In this activity book, you will find several types of activities where you can practice mindfulness and those activities will provide descriptive either in art or in word of varying ways to engage in self-care and mindfulness. What is cool about this activity book, is that you will find yourself engaging in varying facets of self-care whether it is intellectual or emotional. This activity book will encourage you in many ways. You may be nudged to spend time with friends, get out in nature or simply put, enjoy "Me Time".

So... "Free Your Mind" and enjoy!

What is self-care?

Self-Care is the intentional routine practices that one engages in to reduce symptoms associated with stress that may have adverse impacts on a person's mental health. This compilation of activities can help to reduce stress and promote mindfulness. Although the activities shared in this activity book are not a replacement for therapy or medical care, the activities may be helpful as coping skills that provide education and may reduce stress and anxiety related symptoms.

What is mindfulness?

Mindfulness is to be focused on the present moment while being aware of how you are feeling both mentally and physically.

This activity book includes coloring pages, word searches, sudoku, journal prompts and a bonus cross word puzzle. Listed below are some benefits of the exercises included in this compilation.

How coloring reduces stress:

- Promotes creativity
- Coloring enhances focus and concentration
- Can take wherever you go

The benefits of Sudoku:

- Promotes thinking skills
- Practice logical thinking skills
- Improves memory
- Promote brain muscle health and may combat brain decline

Word searches as a mindfulness activity:

- Vocabulary expansion
- Promotes ability to focus

- Single tasking through engagement in puzzles reduces and may even eliminate stress and anxiety

How journaling can promote wellbeing:

- Stress reduction
- Self-reflection
- Provides a space for self-talk and encouragement

Coloring Pages

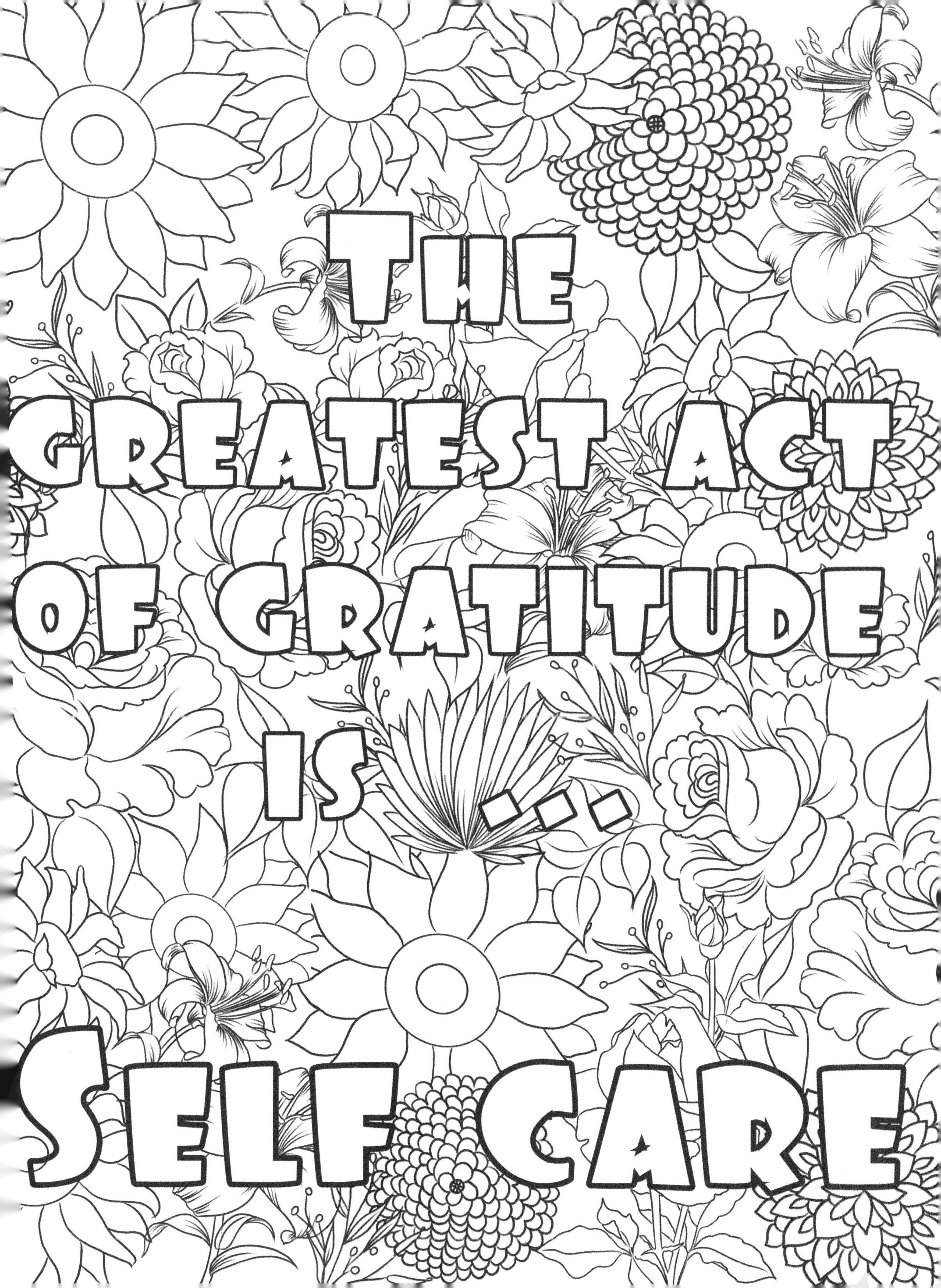
THE
GREATEST ACT
OF GRATITUDE
IS...
SELF CARE

BREATHE IN
hold
BREATHE OUT
relax

YOU CAN'T POUR
FROM AN EMPTY
CUP

ME
TIME...

HEALTH IS
WEALTH

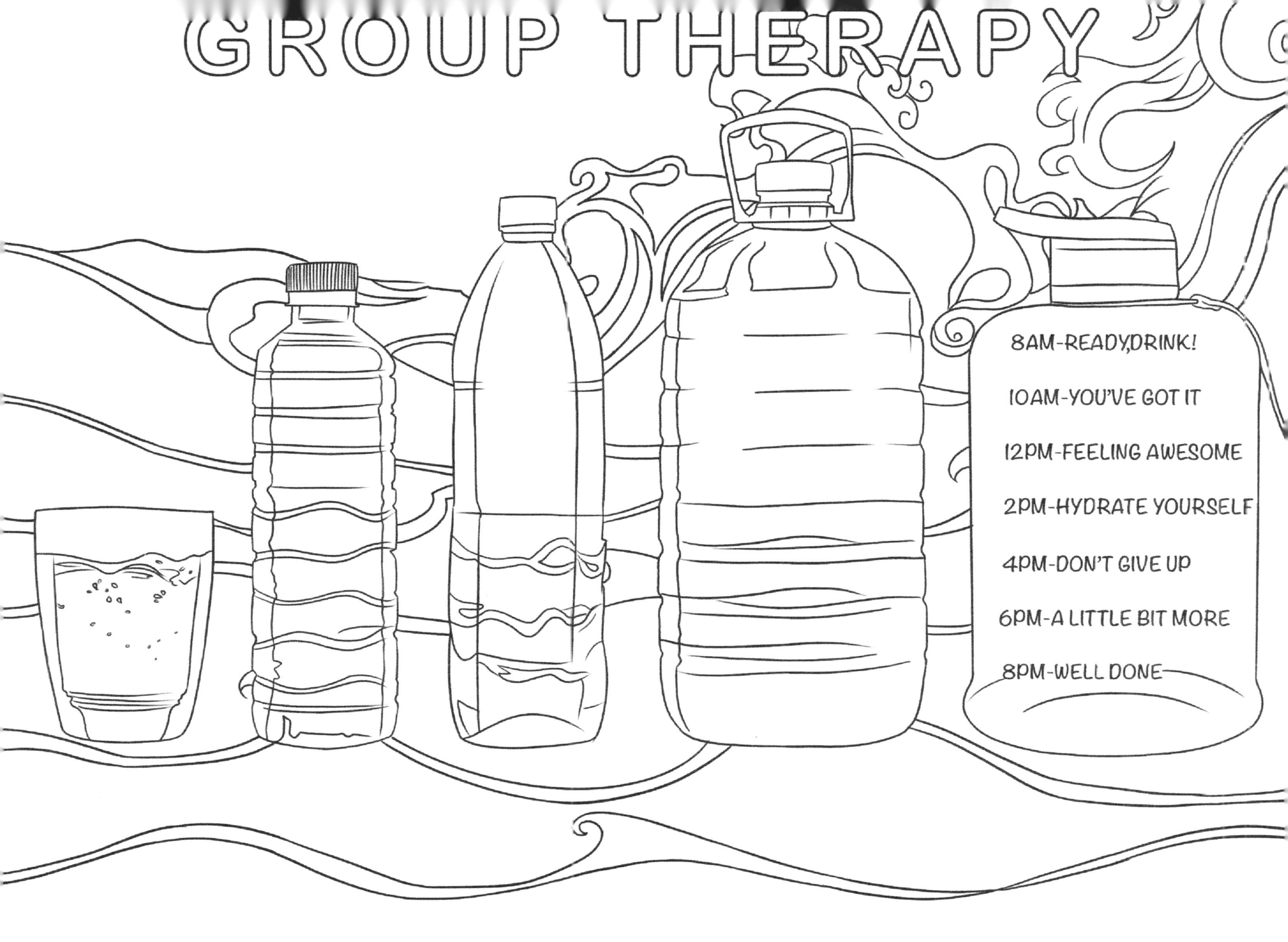
GROUP THERAPY
8AM-READY,DRINK!
10AM-YOU'VE GOT IT
12PM-FEELING AWESOME
2PM-HYDRATE YOURSELF
4PM-DON'T GIVE UP
6PM-A LITTLE BIT MORE
8PM-WELL DONE

SET
BOUNDARIES

Ice cream
HOT DOGS
Ice cream
BURGERS
LAUGH MORE

How to Solve A Word Search

Search for the words listed below the puzzle by scanning back and forth and up and down along each row searching for the first letter of each word. You can use the tip of your writing utensil or finger to help guide you along the rows. Searching for letters that are not as common may help in your search. Once you have found the word you are searching for either circle, highlight or draw a line over the word you have found. Don't forget to check if words overlap.

We're Going To Work This Out

```
J Z M N J H R F H I S B O Y E Y I H E S D J
I Q R A K I C K B O X I N G V U C H V M N J
P U S H U P S T J G W V S J B H T Y R X S C
Y U T W G Q S R H L A E O Q W A Z D P X G B
I U E M I N N U O J T C F V E U I R L F R H
F S P I P M G N A A E Y T R B G Q A F O O S
W U A F C V M N L K R C B V Q K C T D C U L
F H E A L T H I M O R L A A O I S I T U P S
T I R D I I P N N E H I L D S M Y O K S C Q
A K O Y W K H G N G W N L Y C E X N J E L U
G I B I K E R I D I N G H V O Q B X W D A A
S N I Y O G A H P L T P Z A M D Y A A E S T
T G C N W R B R G H Y X Z U M B A I L Y S S
O K S W T V C E N D O R P H I N S X K L E O
K U M U F J S V Q W M P S S T P J H I A S O
U Q M B V S P K Z M Y W D W M C M W N M J V
L B A S K E T B A L L P J A E L J O G D A K
F L E X I B I L I T Y V T F N A H Y R O W B
E B E L L Y D A N C I N G P T C T V T S E N
I H N T D Z Z I T M E N T A L H E A L T H Y
S Q C K M O V E M E N T G C J B K W V T E Z
E O W E I G H T T R A I N I N G Q U H U Z S
```

Baseball
Basketball
Belly Dancing
Bike Riding
Breathe
Commitment
Cycling
Endorphins
Flexibility
Focused
Group Classes
Health

Hiking
Hip Hop Dance
Hydration
Kick Boxing
Mental Health
Movement
Physical
Pilates
Pushups
Running
Sit-ups
Skating

Softball
Squats
Step Aerobics
Sweat
Swimming
Trainer
Walking
Water
Weight Training
Yoga
Zumba

Mental Health Matters

W N T G H F I E K T A L K T H E R A P Y V Y
G F Q E G C O T X G U F O V V D E C X S X I
J K O E V C S L I S T E N I N G C C S E C C
X S N G O X M E D I T A T I O N O E Q L S N
N P R K C P C C Z Y N R D C H K P P R F V B
K S U P P O R T G R O U P S J B I T E E K N
C O M F O R T D E P R E S S I O N A L S L N
A C C L V E M E P T M N A Y M M G N A T E K
J I O S R X U U Z M A P T Z T U S C T E A Z
Z A M P H E S R F M L D O O I Z K E I E T C
B L M R Z R I G G R I E F K C I I O O M I G
Y I U A Q C C I Q F Z X B C H J L K N W N M
Q Z N O W I T H D R A W N R A T L A S I G M
F A I F X S B I W I T M K X N D S K H H H R
A T T A O E T F E E I K I K G R U T I U A I
J I Y S R R G R O N O W T L E R A C P S B L
K O B U H Q M N E D N B N G Y E H G S C I Q
S N T E M N T E L S J K G R R A N X I E T Y
I A F D L W Z S D C S I N B Q N M D S V S L
N Z X K J I N E R D R O V E R W H E L M E D
A W A R E N E S S T E G R O U N D I N G S E
P W E M I N D F U L N E S S N D M I A T M I

Acceptance
Anxiety
Awareness
Belief
Breathing
Change
Comfort
Community
Coping Skills
Depression
Eating Habits
Exercise
Family
Fear
Friends
Grief
Grounding
Informed
Listening
Meditation
Mindfulness
Music
Nature
Normalization
Overwhelmed
Relationships
Self-Esteem
Socialization
Stigma
Stressors
Support Groups
Supportive
Talk Therapy
Triggers
Withdrawn

Affirm Your Greatness

```
B V X T I Q Q T S S U P P O R T I V E O U K
P H Y B P K O M G U M U W U I M A T L F E D
G O A L G E T T E R E A I Z A A F H O R O O
Q Y E Z Z B D R I V E N R F D N Q I N V M I
D B Y T A N G Y I I C L I T E A L N O A P F
V J E J S H M T E V B T Q H H G U K V L P F
K Y S A W Z I V K O F A A M B I T I O U S S
H S P L U S I S T R O N G M D N T N I E T T
K K V L O T E A M W O R K J A G H G T D G V
F V C P A E I D C A P A B L E Z R S G M D N
F X F E B N G F S S P V Q V J R I K T O T H
A X R R R F O C U S E D I L W O V N W J O A
Z C E S I F L D C L M T A X G C E F G I G R
M V S I L E R E F R A M I N G G P L X X E D
L N I S L A N R V I C O M M I T T E D A T W
S K L T I P K D C R V E S L N G D X J D H O
E I I E A U H E L P F U L E T D F I R R E R
O N E N N A R E P Y Y E G C A Z I B O F R K
N Y N T T P M B O S T I V E S N V L E D N I
R L T P P D R K U N L E X C E L L E N C E N
Z E L A E J K V I I N S P I R I N G S T S G
E T A L E N T E D S X O D P F V S E L K S M
```

Amazing
Ambitious
Appreciative
Beautiful
Brilliant
Capable
Committed
Creative
Diligent
Driven
Excellence
Flexible
Focused
Friendly
Goal Getter
Hardworking
Helpful
Inspiring
Intelligent
Managing
Persistent
Plan
Positive
Reframing
Resilient
Smart
Strong
Supportive
Survivor
Talented
Teamwork
Thinking
Thrive
Togetherness
Valued

Let's Get Away

A T W A L K I N G V O U C Z K J N S T K U G
G W A F P A S S P O R T L D I W S K R B G U
V P F M D I N N E R P L A N E T I C K E T K
H B O W J V D D E X G N Q L Z N G I C A E K
H L H O H X X U M N S X K W N H H E F C W C
A I R P L A N E I A T O U R I S T L S H O L
L C R U I S E K C S R D R U S E S I I E C P
R O A D T R I P B J A K N T E X E D J S D B
R Y T H J H G D M R V G S C L C E W K Q Z W
I P E F D B O K E O E I H M X U I S Q L R S
Z B O C O C K T A I L S M T M R N A J K E T
L I M F W G H A E E L K Q L O S G F F Y L D
A Z G L K G L X A L O R G A N I Z E R X A I
V V V K U L U I V F A M I L Y O D T I F X K
Z F L A U G T U P C A M E R A N F Y E R A B
C A L H C N G I L Z A D B M Y O M N N C T Y
K W D I M A C A M P I N G R O U L L D I I I
E G L S J N T J G E F K B S J R X X S V O V
U G K T W N H I Q C O S I B U O I Q H Y N K
G Q U O E R I T O O U F N D U F F E L B A G
O I C R L K O N S N O W F Z H Q W N S A P B
S T A Y C A T I O N S M X J O Y S X L Q L S

Airplane
Beaches
Camera
Camping
Cocktails
Cruise
Dinner
Duffel Bag
Excursion
Family
Friends
Hiking

History
Hotel
Landmarks
Laughter
Luggage
Memories
Organizer
Passport
Plane ticket
Poolside
Relaxation
Rental Car

Road Trip
Safety
Sightseeing
Snow
Staycation
Taxi
Time Off
Tourist
Travel
Vacation
Walking

Journaling: Just Let It Out!

```
V P Y M M W K H S V P E N C I L S B Z C D E
W M S E L F E X P R E S S I O N E N H D S F
E C H R O N I C L E N T O D O L I S T G T Q
S X R B R P G K Y W S O U C N Y I W N D A J
G W I E C Q V O I C E R E C O R D I N G S E
C U P N A D Y C A T D Y G Q L E W W O T S Y
J A S M E T I M E L I T X N E A E A L P E G
P F R O U T I N E S S E A O R Q A D I A S A
H F W B C L Q V C O E L L D A I L Y N S S C
L I V D Q V N X I M P L A N S D A K E L M C
X R E A F L O Z N T C I F F G P I I S B E O
P M D Z U J T B S K Y N D C W V R S G W N U
B A B O E S E S P T T G K P A O F E Q S T N
D T D C E W B W I E H R L N M R E L X H W T
D I U O N M O N R M R E V E C D E F B P J A
G O O C C X O E A D P S M K L Y L C M N O B
E N S L X U K T T Z X L O E X M I H K Z U I
P S Y N K S M H I N A I E N P Q N E J A R L
J D B F S S G E O O Z P K U A R G C L I N I
Q N D O O D L I N G N Y F Q Q L S K Q R A T
Q O N L P R O M P T S A W W L P X I W V L Y
R B T Y S F D I G I T A L J O U R N A L S U
```

Accountability
Affirmations
Assessment
Chronicle
Creativity
Daily
Digital Journal
Document
Doodling
Drawings
Emotional
Feelings

Goals
Inspiration
Journals
Me Time
Memories
No Lines
Notebook
Paper
Pencils
Pens
Personal
Plan

Plans
Prompts
Routine
Self Check-In
Self-Care
Self-Expression
Simple
Storytelling
Theme
To-Do List
Voice Recordings

It's Above Me

X	W	V	Q	H	B	Q	Q	H	M	Q	G	J	T	W	O	E	E	P	W	U	O
Y	I	X	U	Z	G	C	X	I	V	H	L	I	N	T	E	R	N	A	L	J	A
E	R	M	W	O	D	Y	S	G	Y	G	S	B	J	S	E	T	C	B	V	I	K
N	F	E	L	L	O	W	S	H	I	P	A	R	O	V	F	E	Y	N	X	V	I
V	N	A	S	R	J	U	C	E	A	S	C	P	S	X	R	M	I	A	S	W	V
Q	S	G	S	N	P	R	W	R	E	H	R	P	K	T	U	P	N	V	F	B	D
O	U	A	G	T	A	I	K	P	A	U	I	O	S	O	E	L	K	I	Y	E	Q
B	N	I	Y	R	I	Y	J	O	P	B	F	F	G	K	G	E	P	L	Q	L	G
C	G	P	E	A	S	N	M	W	E	X	I	M	M	T	V	C	R	I	U	I	J
L	V	I	E	T	A	O	G	E	A	Y	C	B	L	O	M	T	I	W	I	E	Y
J	H	O	P	E	C	G	W	R	C	O	E	M	L	A	N	W	E	E	R	F	U
U	S	E	X	I	R	H	F	D	E	O	R	M	V	E	E	K	S	U	A	S	N
T	T	O	S	N	E	P	A	S	N	L	B	S	M	L	S	U	T	Z	B	U	X
D	X	U	I	D	D	R	I	X	L	M	A	N	X	Y	T	P	S	O	B	Z	R
H	M	E	D	I	T	A	T	I	O	N	O	T	X	W	I	L	J	T	I	Z	A
D	I	O	L	Q	R	Y	H	Q	U	R	A	N	I	R	L	M	H	B	Y	Z	E
S	N	Z	S	P	C	E	V	Y	I	G	T	G	C	O	L	J	U	L	U	B	J
H	I	P	E	Q	H	R	T	V	W	G	P	S	O	E	N	G	C	B	Z	T	U
S	S	H	V	N	U	N	N	S	O	L	I	T	U	D	E	S	V	W	M	N	T
F	T	O	E	T	R	E	A	E	M	R	Y	Z	X	R	S	V	H	V	L	T	L
V	R	I	V	X	C	Q	Y	V	E	M	A	C	Y	P	S	X	P	I	W	O	J
Q	Y	P	D	F	H	L	R	P	D	C	C	C	W	O	R	S	H	I	P	Y	X

Beliefs
Bible
Church
Environment
Faith
Fasting
Fellowship
God
Hierarchy
Higher Power
Hope
Internal
Love
Meditation
Ministry
Monk
Mosque
Music
Nun
Peace
Praise
Prayer
Priests
Purpose
Qu'ran
Quiet
Rabbi
Relationship
Sacred
Sacrifice
Scripture
Solitude
Stillness
Temple
Worship

Time For A Spa Day

H	Q	X	V	S	Z	T	W	Y	A	T	Y	K	H	O	W	O	C	I	J	N	G
V	W	X	C	N	M	I	V	V	T	T	S	W	E	D	I	S	H	P	N	B	Q
G	D	S	C	N	S	K	I	N	C	A	R	E	C	N	A	T	C	W	H	B	G
O	L	Y	H	W	K	Q	I	J	M	P	S	E	Q	H	M	T	Z	A	S	E	M
N	U	A	F	L	A	M	D	D	K	F	U	W	A	R	A	I	S	T	V	O	A
V	N	V	V	R	R	N	U	N	S	P	G	M	E	T	I	M	E	E	O	W	W
Z	C	O	A	E	I	M	Y	L	Z	E	A	I	M	Z	M	U	P	R	J	T	K
J	H	A	P	L	N	E	A	O	S	R	R	M	Z	W	V	E	M	A	K	W	R
Q	P	P	A	A	K	D	N	S	V	O	S	O	N	C	R	A	N	D	G	T	E
E	E	C	V	X	C	F	E	D	S	B	C	S	Y	K	E	B	R	T	L	N	L
P	B	J	R	A	I	N	I	R	S	E	R	A	C	T	F	A	C	I	A	L	E
P	L	V	Y	T	R	E	A	T	Y	O	U	R	S	E	L	F	M	U	E	N	A
S	S	B	M	I	C	C	Y	K	Y	A	B	S	I	E	E	Q	A	U	O	K	S
W	B	A	F	O	U	Y	Q	O	D	B	E	L	E	Q	C	H	S	T	K	T	E
A	F	O	C	N	L	H	P	E	A	C	E	F	U	L	T	S	S	Y	U	J	T
R	D	I	N	I	A	A	L	B	J	R	D	A	Z	D	I	T	A	R	G	K	O
Z	U	N	M	D	T	D	M	B	S	F	R	U	I	T	O	I	G	U	U	D	X
K	H	A	H	M	I	X	W	S	D	A	G	V	P	H	N	S	E	Z	G	O	I
Z	F	T	O	F	O	N	E	A	B	E	N	E	Q	E	J	A	A	K	O	E	N
L	T	A	X	J	N	R	G	F	T	H	E	R	A	P	E	U	T	I	C	P	S
D	U	D	E	S	T	R	E	S	S	D	I	S	C	O	N	N	E	C	T	X	G
D	W	D	L	S	L	L	S	G	E	S	S	E	N	T	I	A	L	O	I	L	S

Bonding
Champagne
Circulation
Deep Tissue
De-Stress
Disconnect
Essential Oils
Facial
Family
Friends
Fruit
Hot Stone
Lavender
Lunch
Massage
Masseuse
Me Time
Mimosa
Mud Mask
Peaceful
Peppermint
Reflection
Relaxation
Release Toxins
Robe
Sauna
Skincare
Steam Room
Stress Relief
Sugar Scrub
Swedish
Therapeutic
Treat Yourself
Treatment
Water

Empowerment and Advocacy

P O N O P I Z A U J Q V O T U D P R H P K K
S A W V V K T E X G D T I A D D R S B B N R
B J O Q W P R P E C A M K H N P D P V T O I
G L P C H A N G E S R S S E O E I E B U W Q
Q C Q R H L A D M E B O A F G R F A M I L Y
V O C S D R G G P A S K J P S S F K H Z E R
X M E D U C A T I O N R B J J I E U Y X D U
M M V O F Z Y L P G W I G Z V S R P N B G K
I U C L L L A U E M C E F J Q T E Z U T E C
S N E S U P P O R T C I R E M E N J G T Y G
E I M O T I V A T I O N H G S N C L V O D J
S C M C M P M I P V A L I D A T E E X G X X
D A S I S T E R H O O D P R S Z S A S E W J
Z T R A L L O W V I E O M E N T O R U T S F
P I A L C N F E T C Z B V A D K W N C H E J
H O K J M U H E E E W N E M P O W E R E K N
C N X U H P Z Y S V I X R T G A P L G R C S
S E E S N W I I V I S I O N T S Z F Q N J L
R T N T O A V S I N F O R M E Q O L H E W D
Z G R I N D C I M N D X J R A V D K C S O A
A I N C A F C S O A F F I R M R F N H S B K
F F H E V S Q C O M M U N I T Y K W A E K O

Advise
Affirm
Allow
Change
Communication
Community
Confirm
Differences
Dream
Education
Empower
Encourage

Family
Grind
Inform
Invest
Knowledge
Learn
Manifest
Mentor
Motivation
Permit
Persistent
Power

Respect
Share
Sisterhood
Social Justice
Speak Up
Support
Team
Togetherness
Validate
Vision
Voice

All Hands On Deck: Massages

```
J G E P A R O M A T H E R A P Y H X B T P M
C N C R A N O F A C I A L B E S D X M E N U
S T R E S S R E L I E F S E I N K H D N K S
H Q H N Y S P R N R M E S D S P O R T S F C
Z U G A B N L H J C T A E G C H K P A I T L
E E L T G I S K I U E W S K S D I M E O R E
G R E A H N E A N L S A F S T J E A L N A R
N C S L O E H I E A H R P F A C N J T C N E
T O S U T T M R D T O S E Q A G L E G S Q L
D U E H S Y L E Z I U S Y F C E E B G I U A
F P N Y T M K L B O L T C C L A G O N Z I X
V L T X O I P A V N D J Q U T E S J I N L A
X E I G N N S X C A E X V R H S X T L L I T
B S A C E U P A I T R I G G E R P O I N T I
E E L J H T D T R I J Q S N R D L W L C Y O
D L O F L E X I B I L I T Y A V E E I O I N
I V I O N S A O A I B E N W P K D L Y K G Q
Y D L O Y H Q N C Q I K L C E N L S A W E Y
D G S T C Z W L K U Z N C F U L L B O D Y T
T T U W C W L S Q F D E E P T I S S U E L G
C M A S S A G E T H E R A P I S T E H E M U
L T G V W V R E Y H W N R Y C X N F K E V U
```

Aromatherapy
Back
Chair
Circulation
Couples
Cranofacial
Deep Tissue
Essential Oils
Face Mask
Flexibility
Foot
Full Body
Hot Stone
Legs
Massage Oil
Massage Therapist
Muscle Relaxation
Ninety Minutes
Prenatal
Quietness
Reflexology
Relaxation
Release
Shiatsu
Shoulder
Sixty Minutes
Sports
Stress Relief
Swedish
Tension
Thai
Therapeutic
Towels
Tranquility
Trigger Point

Girl's Night Out

Y M Y Q U G O T G Z N H Y D D R S L X X N L

M E Z X T W K N R W G J A R K I G O R D W I

A M P V M N I E B F L J E P S Q A T H D G T

M O V E M P E B F D K T O I P K P N F R P T

M R O V P D K D I C H A Y K U Y W O N K R L

A I M O V I E N I G H T V M E B H B G B U E

T E H M Q N R Y U S E C R E T S J O R G C B

F S T M A N U A E D C D M Y W V E Y U I L L

W J Q R Q E L R N C C O N C E R T S O R V A

I L O V E R U I F P L A N N E R E A W L V C

A E I X D T L B Y L D L Y N T C A L J T N K

Q S N P C X J O E O I F L W E O I L X A C D

A C A I S U P P O R T R R H V C O O O L K R

L A P R D T V F U N X I T E D K T W P K V E

K P A W T N I D A J O G D A L T A E Z F E S

G E T A W A Y C G M D S X H T A N D Y D X S

T R X C E S D W K U I K T J P I X G R A T F

T O U T U U P D V S T L T A T L O A X N H V

I O J B D H G O J I J G Y R L S S U T C G I

W M C U G T A L H C H E E R S G U M S I K N

I S I D N E T F L I X A N D C H I L L N O R

E E E F O W H O B F I Z D J W M C A A G N N

Busy
Cheers
Cocktails
Concerts
Dancing
Dinner
Disconnect
Escape Rooms
Family
Flirtatious
Food
Fun
Get-Away
Girl Talk
GNO
Happy Hour
Jokes
Laughter
Lipstick
Little Black Dress
Love
Memories
Movie Night
Music
Netflix And Chill
No Boys Allowed
Nostalgia
Pictures
Planner
Relaxation
Secrets
Shopping
Support
Tears
Uber

SUDOKU PUZZLES

INSTRUCTIONS

- **№ 1: Use Numbers 1-9**

Sudoku is played on a grid of 9 x 9 spaces. Within the rows and columns are 9 "squares" (made up of 3 x 3 spaces). Each row, column and square (9 spaces each) needs to be filled out with the numbers 1-9, without repeating any numbers within the row, column or square. The more spaces filled in, the easier the game – the more difficult Sudoku puzzles have very few spaces that are already filled in.

- **№ 2: Don't Repeat Any Numbers**

By seeing which numbers are missing from each square, row, or column, we can use process of elimination and deductive reasoning to decide which numbers need to go in each blank space.

- **№ 3: Don't Guess**

Sudoku is a game of logic and reasoning, so you shouldn't have to guess. If you don't know what number to put in a certain space, keep scanning the other areas of the grid until you seen an opportunity to place a number. But don't try to "force" anything – Sudoku rewards patience, insights, and recognition of patterns, not blind luck or guessing.

- **№ 4: Use Process of Elimination**

One way to figure out which numbers can go in each space is to use "process of elimination" by checking to see which other numbers are already included within each square – since there can be no duplication of numbers 1-9 within each square (or row or column).

"Sudoku rules are relatively uncomplicated – but the game is infinitely varied, with millions of possible number combinations and a wide range of levels of difficulty. But it's all based on the simple principles of using numbers 1-9, filling in the blank spaces based on deductive reasoning, and never repeating any numbers within each square, row or column."

Sudoku #001 (Easy)

	9	6		4			3	
	5	7	8	2				
1			9			5		
		9		1				8
5								2
4				9		6		
		4			3			1
				7	9	2	6	
	2			5		9	8	

Sudoku #002 (Easy)

		7				9		8
	3		1	7				4
					6			
6	9	8	7	4		3		
		3		1		4		
		1		3	9	7	6	2
			4					
9				5	1		4	
4		5				1		

Sudoku #003 (Easy)

					9			6
					3	8	5	1
	6	2		1	5			
		7					6	
	2	1	9	7	6	3	8	
	3					1		
			4	5		9	7	
2	5	8	6					
4			3					

Sudoku #004 (Easy)

2	9			7	4			
	1					4		
6	7		9		5			
	8		2		6			
	6		8	4	7		2	
			5		1		8	
			7		8		9	2
		6					1	
			4	1			5	8

Sudoku #005 (Easy)

5		3						
2			3					
	4		7	1		2		3
		5	4				7	1
		4	2		1	8		
6	8				7	5		
1		7		6	9		3	
					4			6
						9		5

Sudoku #006 (Easy)

	5			2	9			
						1	7	
7	9	6			3	2		
				1	5		9	
3	6						2	1
	4		6	9				
		2	8			3	1	4
	1	8						
			2	7			5	

Sudoku #007 (Easy)

	9	2					7	4
				2	3			5
4								
	6			3	4			7
2		8	7	1	5	4		9
1			6	9			3	
								8
8			5	6				
7	4					3	2	

Sudoku #008 (Easy)

	4					5	6	
	3	9			8		7	
7			2	5				
3	1				6	7		
		5		7		1		
		6	4				8	9
				9	7			2
	2		8			6	5	
	8	1					9	

Sudoku #009 (Easy)

		2		6	1			9
8		5	4				7	6
6		4						
		3		5	2			
			8		7			
			9	3		2		
						1		2
3	6				8	4		7
2			1	4		9		

Sudoku #010 (Easy)

6		2				8	4	
				1	3		2	
		7		4				
3	2	4					6	
	7		5		2		9	
	1					3	7	2
				9		4		
	4		8	6				
	5	3				7		6

Sudoku #011 (Medium)

1		8			6	4		
		6		9		8		7
5								
2	6	9	5				8	
			4		9			
	8				2	7	9	1
								5
6		4		7		2		
		1	2			9		3

Sudoku #012 (Medium)

4		6		2				
	8		4				9	3
3				8	5			2
7		9						8
	5			7			4	
6						7		1
9			2	4				5
2	6				8		7	
				3		1		9

Sudoku #013 (Medium)

			2	4		6		
9								3
1					3		4	5
5	6			7		1		
		4	8		5	9		
		1		6			5	2
6	9		5					1
4								9
		8		9	6			

Sudoku #014 (Medium)

			7		9		2	
		9	2	1	6			5
5			8		4			
	6					4		
3	7			4			6	1
		2					5	
			9		7			3
7			3	8	5	2		
	3		4		1			

Sudoku #015 (Medium)

	7			3			1	
1	3	9		8	2		6	
6							8	
7		2						1
			9		4			
8						9		6
	8							5
	5		1	4		2	9	7
	1			9			3	

Sudoku #016 (Medium)

		7				8		6
		3	8		2			
6					4	9	5	
3	6			1				
4			3		5			7
				2			3	9
	9	1	5					4
			2		1	7		
8		4				2		

Sudoku #017 (Medium)

	4	7			3			5
			6	8	7		4	
			2	4		9		7
		6					1	8
				1				
2	7					5		
8		5		6	1			
	9		8	5	2			
1			9			8	5	

Sudoku #018 (Medium)

2	3				7			1
1	8		5	3		4		
	4	6						
	5				8			2
	6			2			9	
9			3				1	
						8	2	
		3		5	9		4	7
5			7				3	9

Sudoku #019 (Medium)

		8	7		4		3	1
7			6			9		
					9	5	7	
1			9				6	7
				1				
2	8				6			3
	4	1	8					
		5			7			9
8	7		5		2	4		

Sudoku #020 (Medium)

		6		4				
			6					2
9		4			8			1
2	4		3		9	8	7	
	7			5			9	
	5	9	8		1		2	3
4			1			7		8
8					6			
				8		5		

Sudoku #021 (Hard)

						8		6
4		5	6	9			1	
		9			2	4		
5					3		8	
		7	8		9	6		
	9		2					3
		4	7			1		
	6			4	1	7		8
7		3						

Sudoku #022 (Hard)

		8			7			
5						7		1
9	2		1				3	6
			8	7	2			5
		9				3		
1			9	5	3			
3	7				9		4	8
2		6						9
			7			2		

Sudoku #023 (Hard)

		4	2		8	6		
				9				5
	8			4			1	7
	6				9	5		
		9	7	6	5	8		
		5	4				6	
6	4			2			5	
3				8				
		2	3		6	1		

Sudoku #024 (Hard)

9		5			1			
4		3	9				5	
	8		7	5				
	5	1						3
8	4						7	6
6						1	8	
				9	6		1	
	9				3	8		7
			1			5		9

Sudoku #025 (Hard)

	4	3	1					
7		9	4	6				
8		6			3		1	
9		2			7			
	6						4	
			3			9		7
	7		6			2		5
				2	4	6		1
					1	4	3	

Sudoku #026 (Hard)

			5				3	4
			4			7		
	1			7	3		5	
5	3		8		1			
1			2	4	5			8
			9		7		1	5
	2		3	8			7	
		1			9			
4	8				6			

Sudoku #027 (Hard)

	6		4				8	
		1		8	6			2
8				9		1		6
	8	2		4	5			
			1	3		8	4	
1		6		5				8
4			6	2		5		
	9				7		2	

Sudoku #028 (Hard)

6				3	8	5		
	8		6		7	3		
			5				6	
7		8	4			6		
1								2
		9			1	4		7
	1				5			
		2	7		6		8	
		3	2	1				5

Sudoku #029 (Hard)

	5		7					1
	8			6		3		4
3		7			9			
1					7		3	
	7		9	4	3		6	
	9		2					7
			3			2		8
7		1		2			5	
8					4		1	

Sudoku #030 (Hard)

5				2	6	7		
	8	1		3				4
	6			8				2
		5			9			7
9								5
4			8			9		
8				1			5	
6				5		4	1	
		2	4	9				6

Journaling Tips:

(This is not an endless list but serves as suggestions as you proceed with your journaling)

- Keep private
- Try meditating before writing
- Be sure to date your entry
- Keep your journal entries and re-read later
- Let go of your inhibitions
- Do not censor your writing
- Give yourself permission to be honest
- Write naturally

Journal Prompts

CHECK-IN

How are you feeling?

☐ ☺ ☐ 😐 ☐ ☹

DATE

List at least 4 things you are grateful for and why.

Journal Prompts

CHECK-IN

How are you feeling?

☐ ☺ ☐ 😐 ☐ ☹

DATE

Describe how you feel. Why, and what is contributing to your emotions?

Journal Prompts

CHECK-IN
How are you feeling?

☐ ☺ ☐ 😐 ☐ ☹

DATE

Create a plan or to-do list of 3-5 new things you can try in the next 7 days that you've never done before.

Journal Prompts

CHECK-IN
How are you feeling?

☐ ☺ ☐ 😐 ☐ ☹

What are some task you can implement in your life to promote emotional, physical and or spiritual well being?

Journal Prompts

CHECK-IN
How are you feeling?

☐ ☺ ☐ 😐 ☐ ☹

DATE

Identify 3 people you would like to reconnect with and why. Set dates and how you plan to reconnect with them.

Journal Prompts

CHECK-IN
How are you feeling?

☐ ☺ ☐ 😐 ☐ ☹

DATE

What is the one thing that brings you peace? Describe what that is and how it makes you feel.

Journal Prompts

CHECK-IN

How are you feeling?

☐ ☺ ☐ 😐 ☐ ☹

DATE

How was your day? Describe in detail.

Journal Prompts

CHECK-IN

How are you feeling?

☐ ☺ ☐ 😐 ☐ ☹

DATE

Describe or draw your happy place.

Journal Prompts

CHECK-IN

How are you feeling?

☐ ☺ ☐ 😐 ☐ ☹

DATE

What are some obstacles you are experiencing that may prevent you from engaging in self care? How can you address, minimize, or delete those obstacles from getting in your way?

Journal Prompts

CHECK-IN
How are you feeling?

☐ ☺ ☐ 😐 ☐ ☹

DATE

Set a 21 day plan to take your life back or revise some things that are not working. Ready, Set, Go!

Bonus: Mental Health Awareness

Across

1. Socially detached and unresponsive
2. Apprehensive uneasiness or nervousness marked by physical signs (such as tension, sweating, and increase in pulse rate).
3. To make normal
4. To separate from others
5. A strong feeling of displeasure
6. A mood disorder marked especially by sadness, inactivity, decrease in appetite and concentration
7. The condition of being sound mentally and emotionally
8. Something that indicates the existence of something else
9. Treatment of impairment
10. A mark of shame or discredit

Down

11. Weariness or exhaustion
12. To inhale and exhale
13. The connections or lack thereof that one may have with other people
14. Inability to rest at night; insomnia
15. The act or process of informing or providing knowledge
16. To express feelings, ideas, or concepts
17. The body's reaction to a change that requires a physical, mental or emotional adjustment or response

We're Going To Work This Out

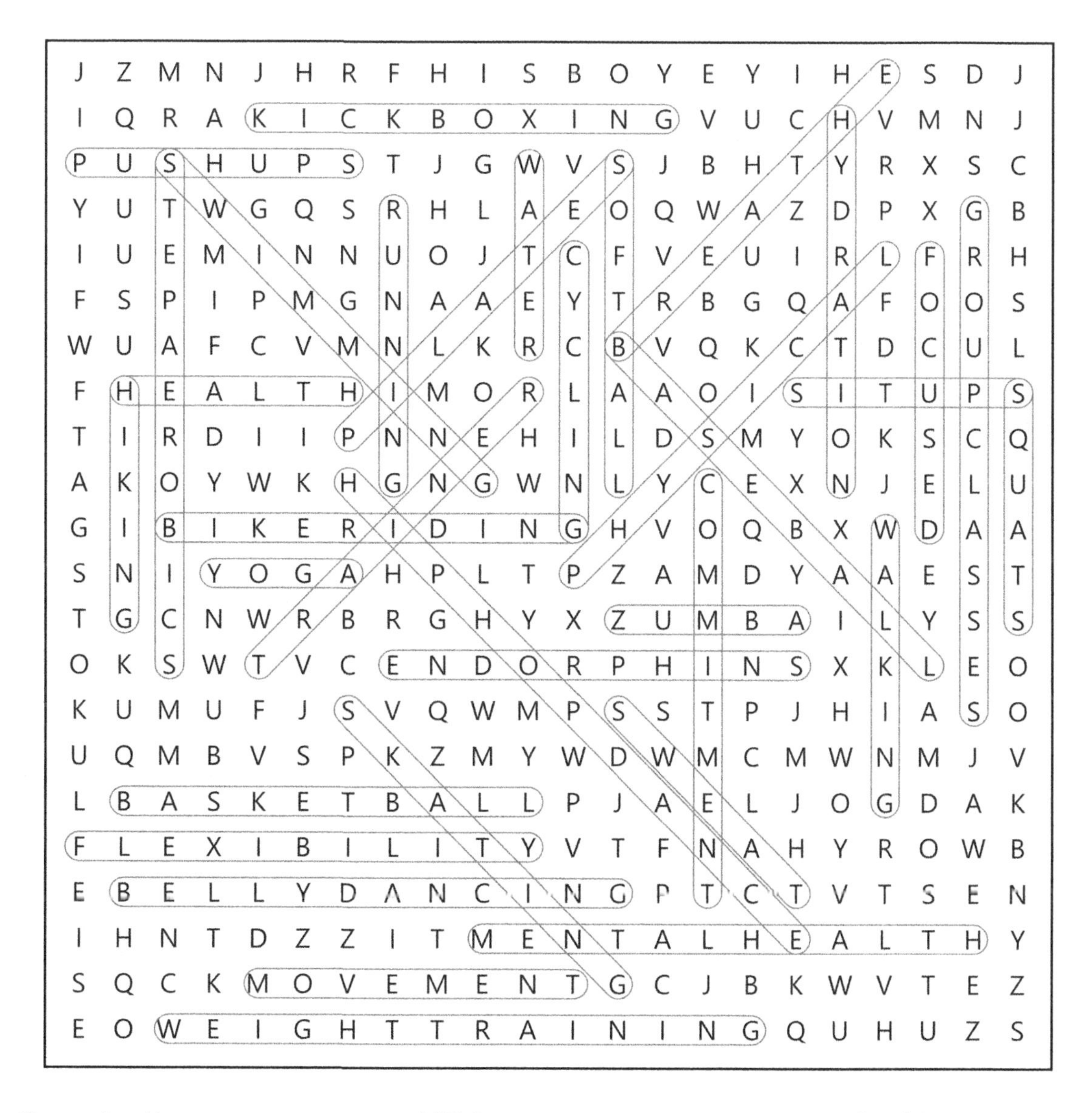

Baseball
Basketball
Belly Dancing
Bike Riding
Breathe
Commitment
Cycling
Endorphins
Flexibility
Focused
Group Classes
Health
Hiking
Hip Hop Dance
Hydration
Kick Boxing
Mental Health
Movement
Physical
Pilates
Pushups
Running
Sit-ups
Skating
Softball
Squats
Step Aerobics
Sweat
Swimming
Trainer
Walking
Water
Weight Training
Yoga
Zumba

Mental Health Matters

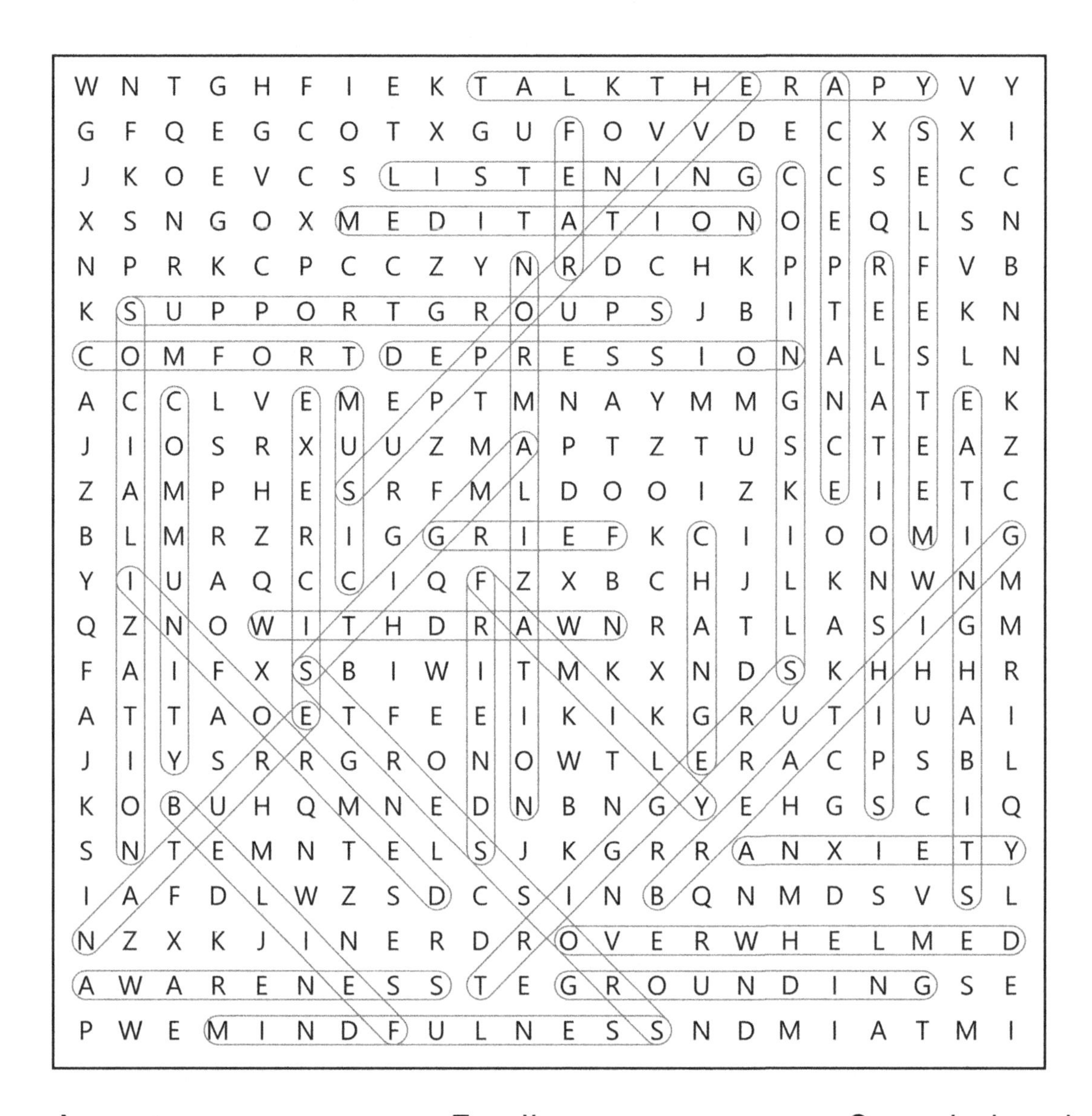

Acceptance
Anxiety
Awareness
Belief
Breathing
Change
Comfort
Community
Coping Skills
Depression
Eating Habits
Exercise
Family
Fear
Friends
Grief
Grounding
Informed
Listening
Meditation
Mindfulness
Music
Nature
Normalization
Overwhelmed
Relationships
Self-Esteem
Socialization
Stigma
Stressors
Support Groups
Supportive
Talk Therapy
Triggers
Withdrawn

Affirm Your Greatness

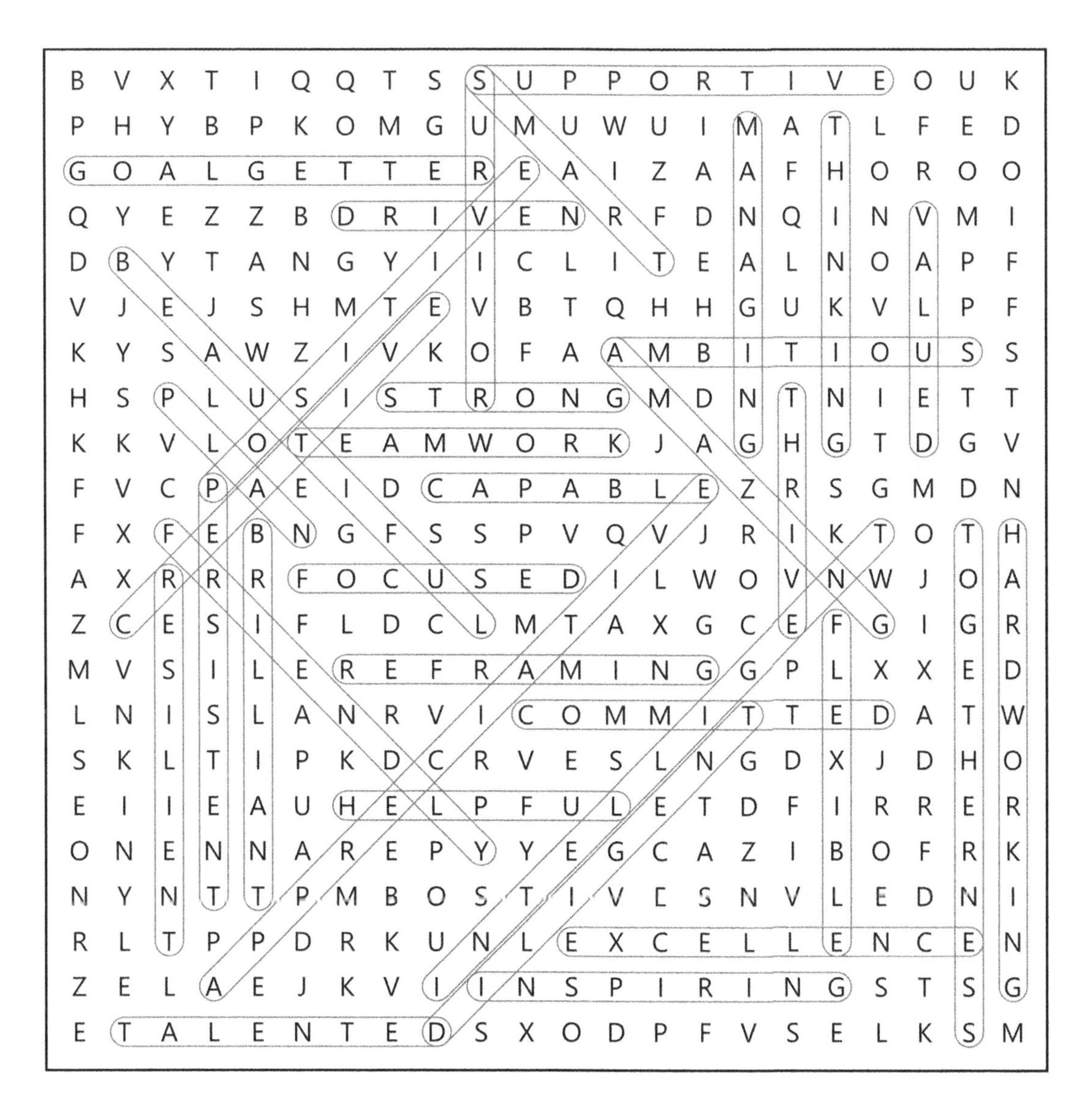

Amazing
Ambitious
Appreciative
Beautiful
Brilliant
Capable
Committed
Creative
Diligent
Driven
Excellence
Flexible
Focused
Friendly
Goal Getter
Hardworking
Helpful
Inspiring
Intelligent
Managing
Persistent
Plan
Positive
Reframing
Resilient
Smart
Strong
Supportive
Survivor
Talented
Teamwork
Thinking
Thrive
Togetherness
Valued

Let's Get Away

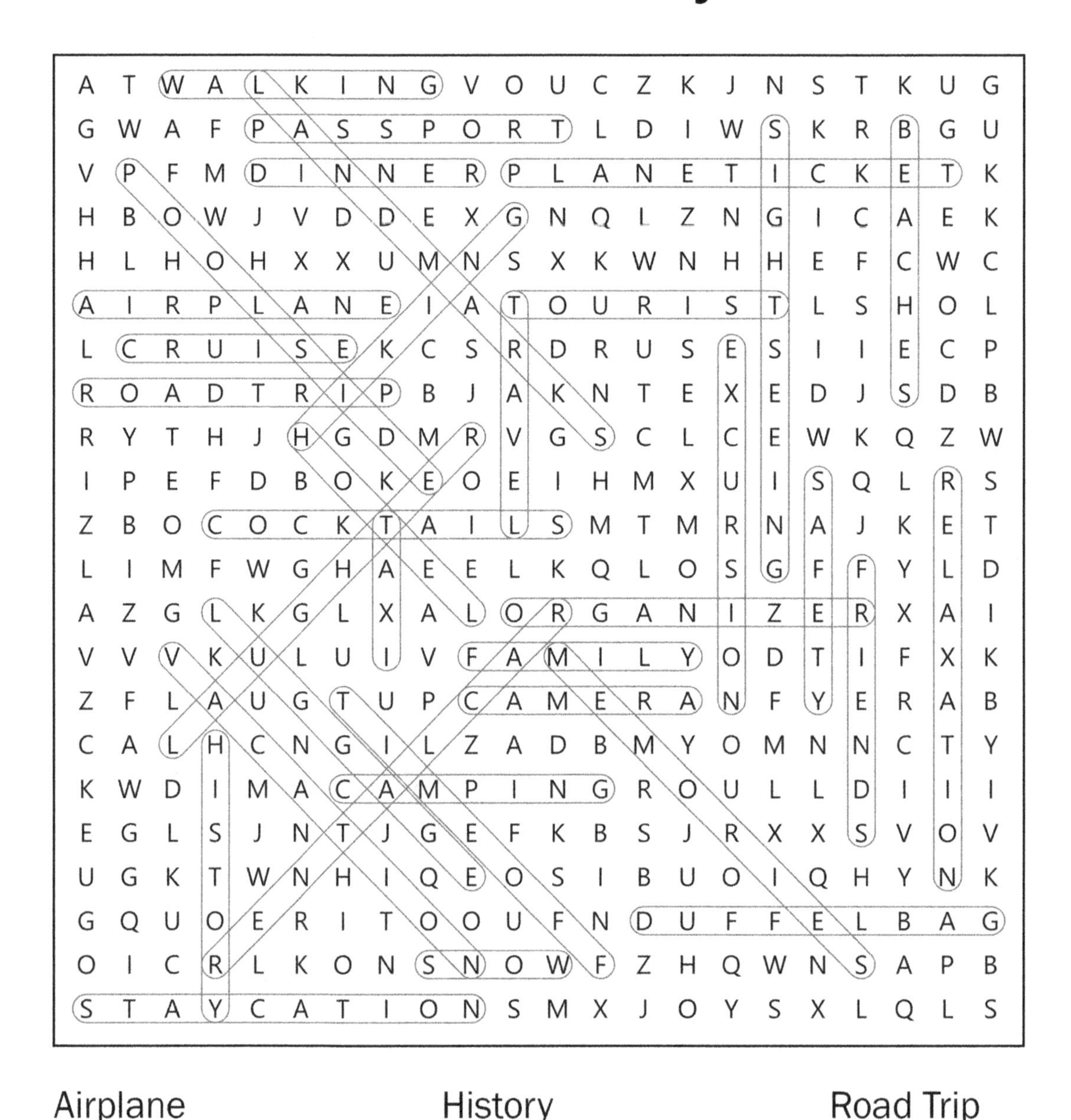

Airplane
Beaches
Camera
Camping
Cocktails
Cruise
Dinner
Duffel Bag
Excursion
Family
Friends
Hiking
History
Hotel
Landmarks
Laughter
Luggage
Memories
Organizer
Passport
Plane ticket
Poolside
Relaxation
Rental Car
Road Trip
Safety
Sightseeing
Snow
Staycation
Taxi
Time Off
Tourist
Travel
Vacation
Walking

Journaling: Just Let It Out!

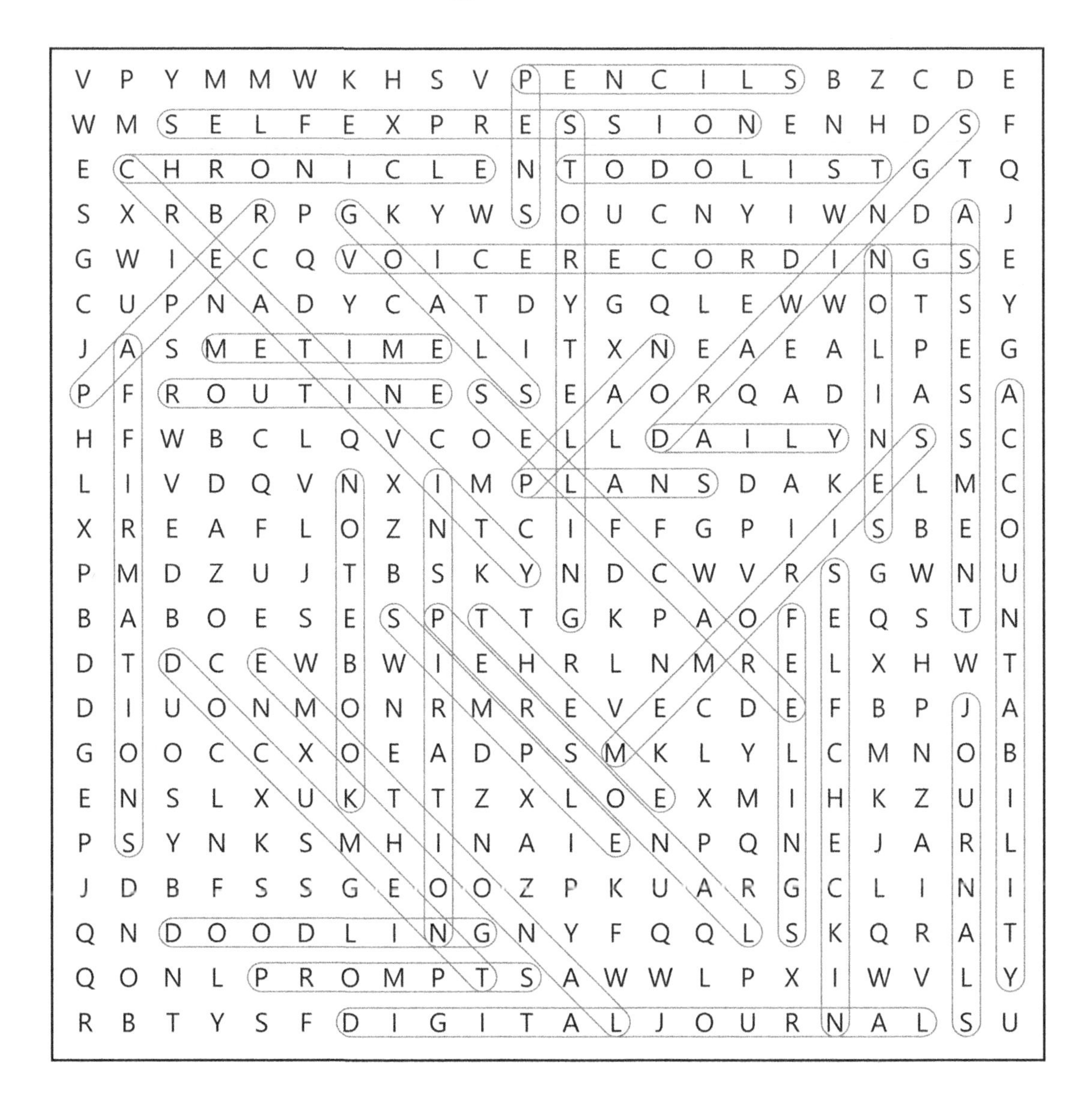

Accountability
Affirmations
Assessment
Chronicle
Creativity
Daily
Digital Journal
Document
Doodling
Drawings
Emotional
Feelings
Goals
Inspiration
Journals
Me Time
Memories
No Lines
Notebook
Paper
Pencils
Pens
Personal
Plan
Plans
Prompts
Routine
Self Check-In
Self-Care
Self-Expression
Simple
Storytelling
Theme
To-Do List
Voice Recordings

It's Above Me

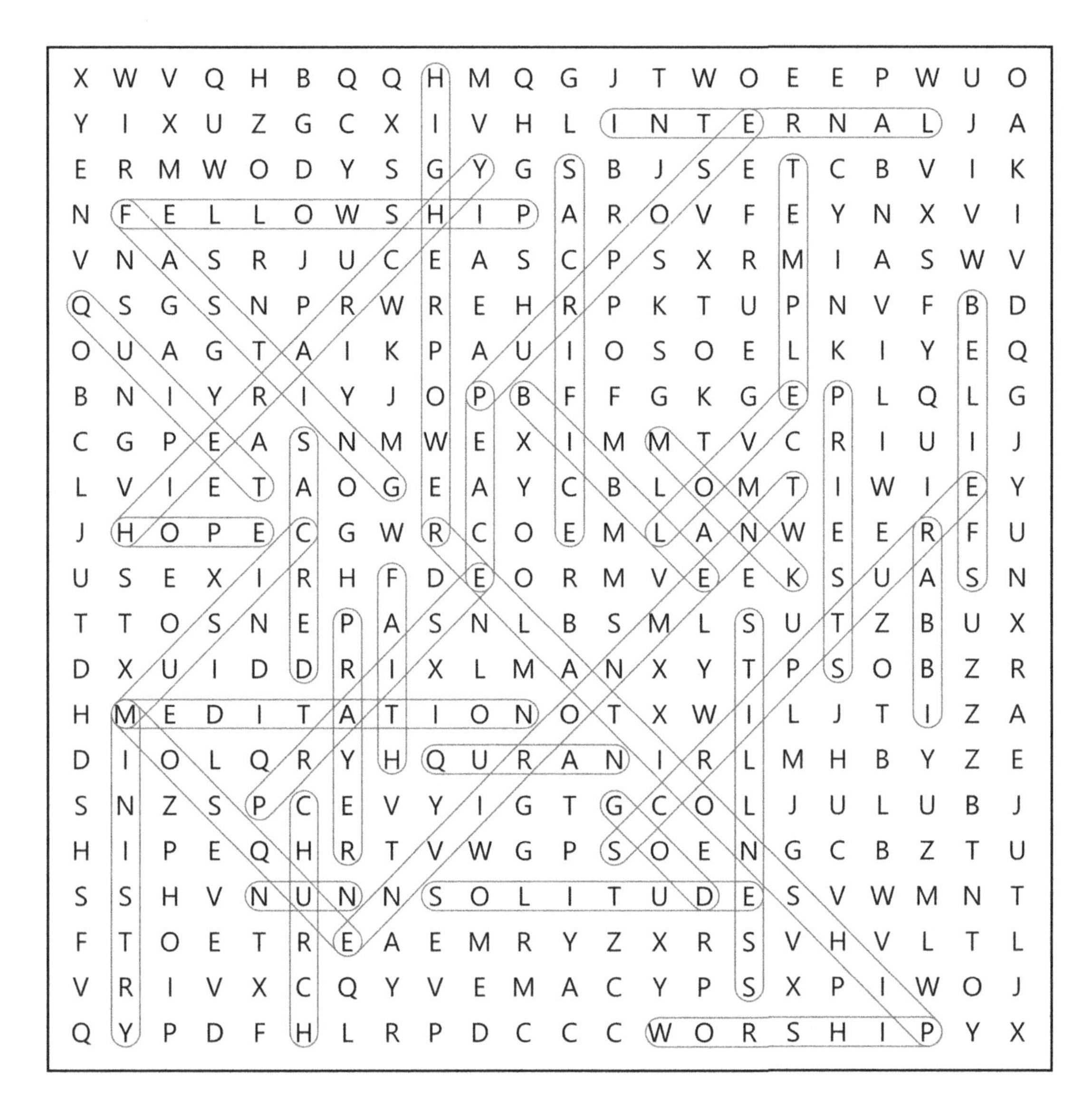

Beliefs
Bible
Church
Environment
Faith
Fasting
Fellowship
God
Hierarchy
Higher Power
Hope
Internal
Love
Meditation
Ministry
Monk
Mosque
Music
Nun
Peace
Praise
Prayer
Priests
Purpose
Qu'ran
Quiet
Rabbi
Relationship
Sacred
Sacrifice
Scripture
Solitude
Stillness
Temple
Worship

Time For A Spa Day

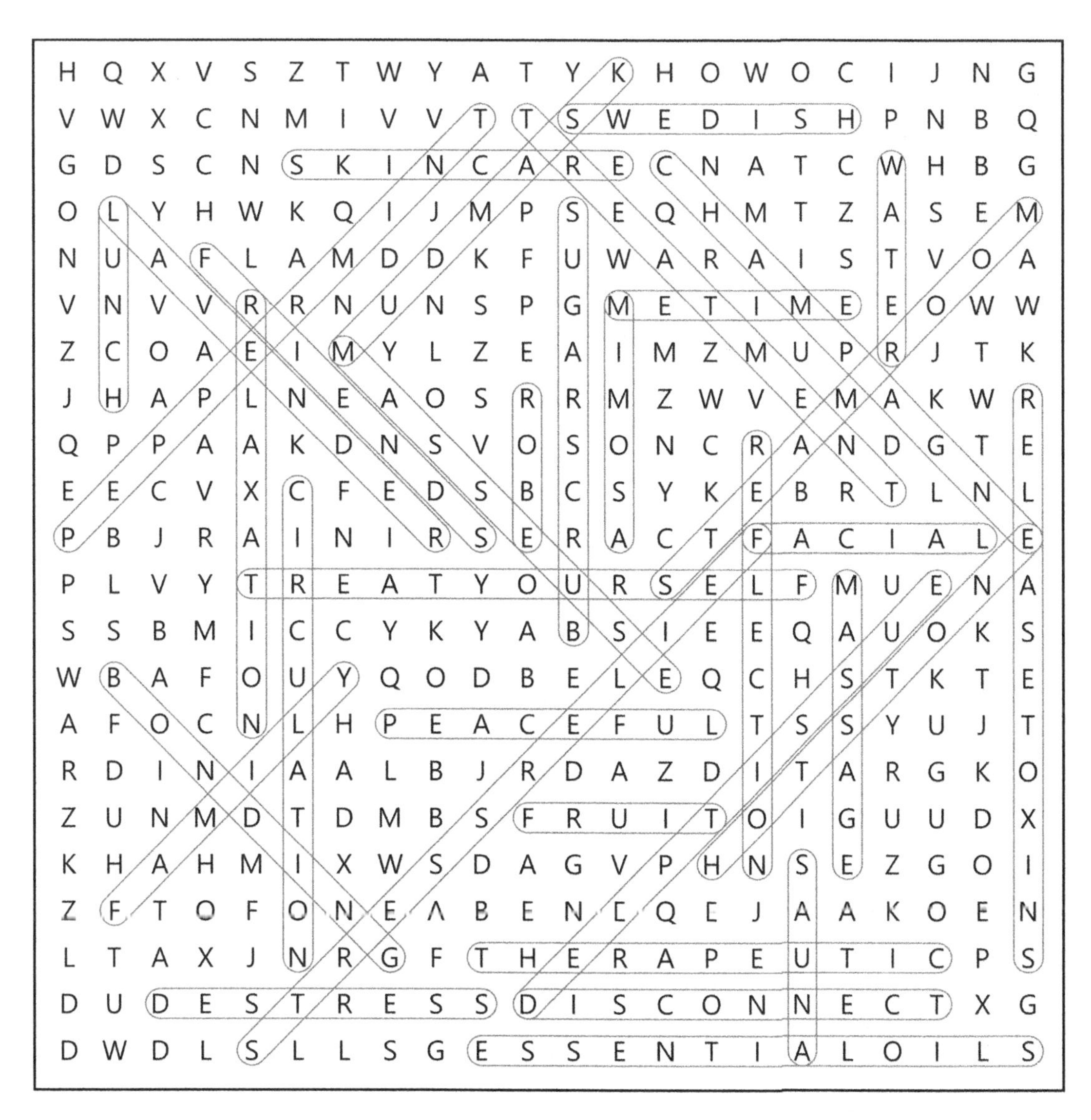

Bonding
Champagne
Circulation
Deep Tissue
De-Stress
Disconnect
Essential Oils
Facial
Family
Friends
Fruit
Hot Stone
Lavender
Lunch
Massage
Masseuse
Me Time
Mimosa
Mud Mask
Peaceful
Peppermint
Reflection
Relaxation
Release Toxins
Robe
Sauna
Skincare
Steam Room
Stress Relief
Sugar Scrub
Swedish
Therapeutic
Treat Yourself
Treatment
Water

Empowerment and Advocacy

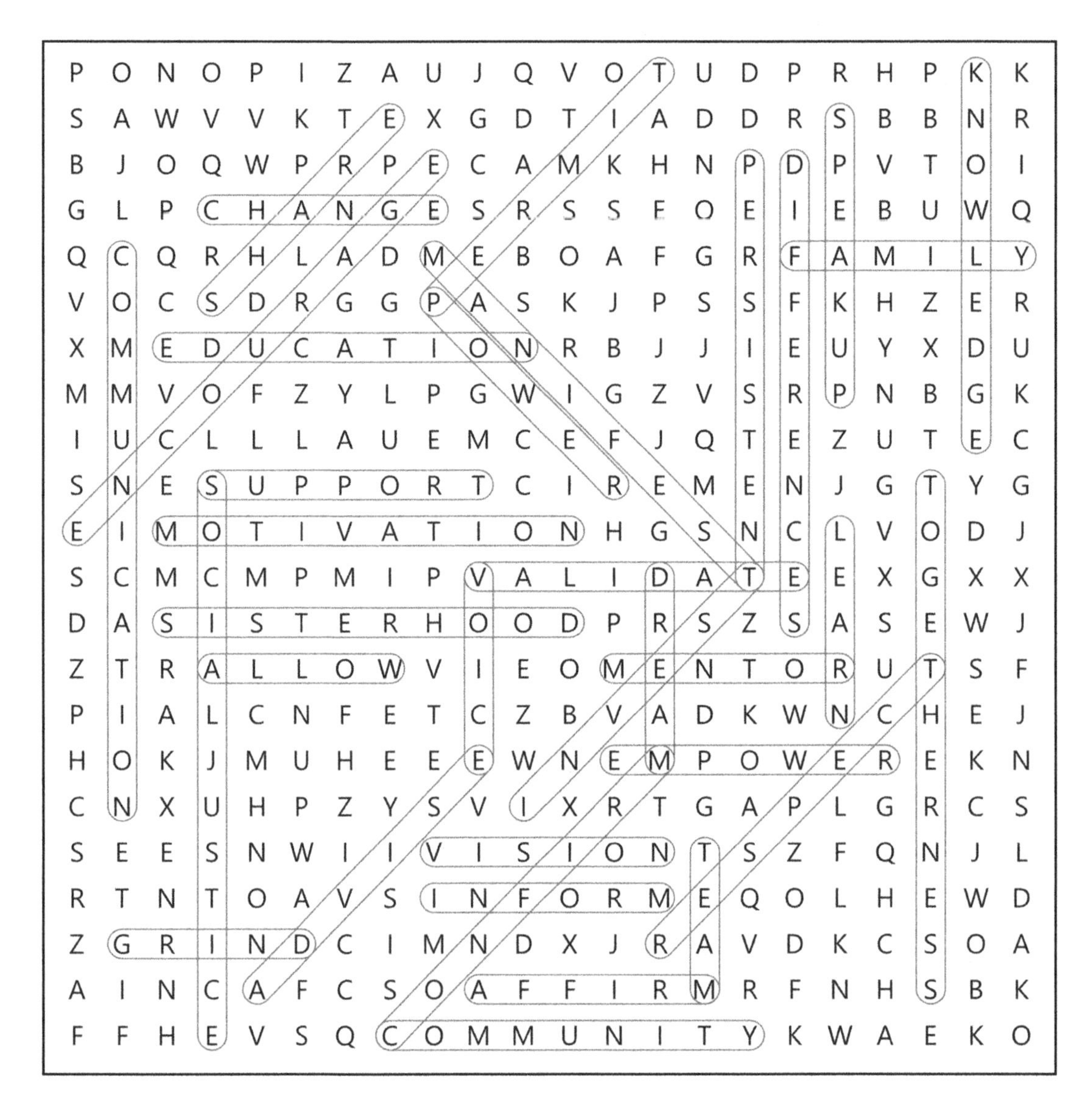

Advise
Affirm
Allow
Change
Communication
Community
Confirm
Differences
Dream
Education
Empower
Encourage

Family
Grind
Inform
Invest
Knowledge
Learn
Manifest
Mentor
Motivation
Permit
Persistent
Power

Respect
Share
Sisterhood
Social Justice
Speak Up
Support
Team
Togetherness
Validate
Vision
Voice

All Hands On Deck: Massages

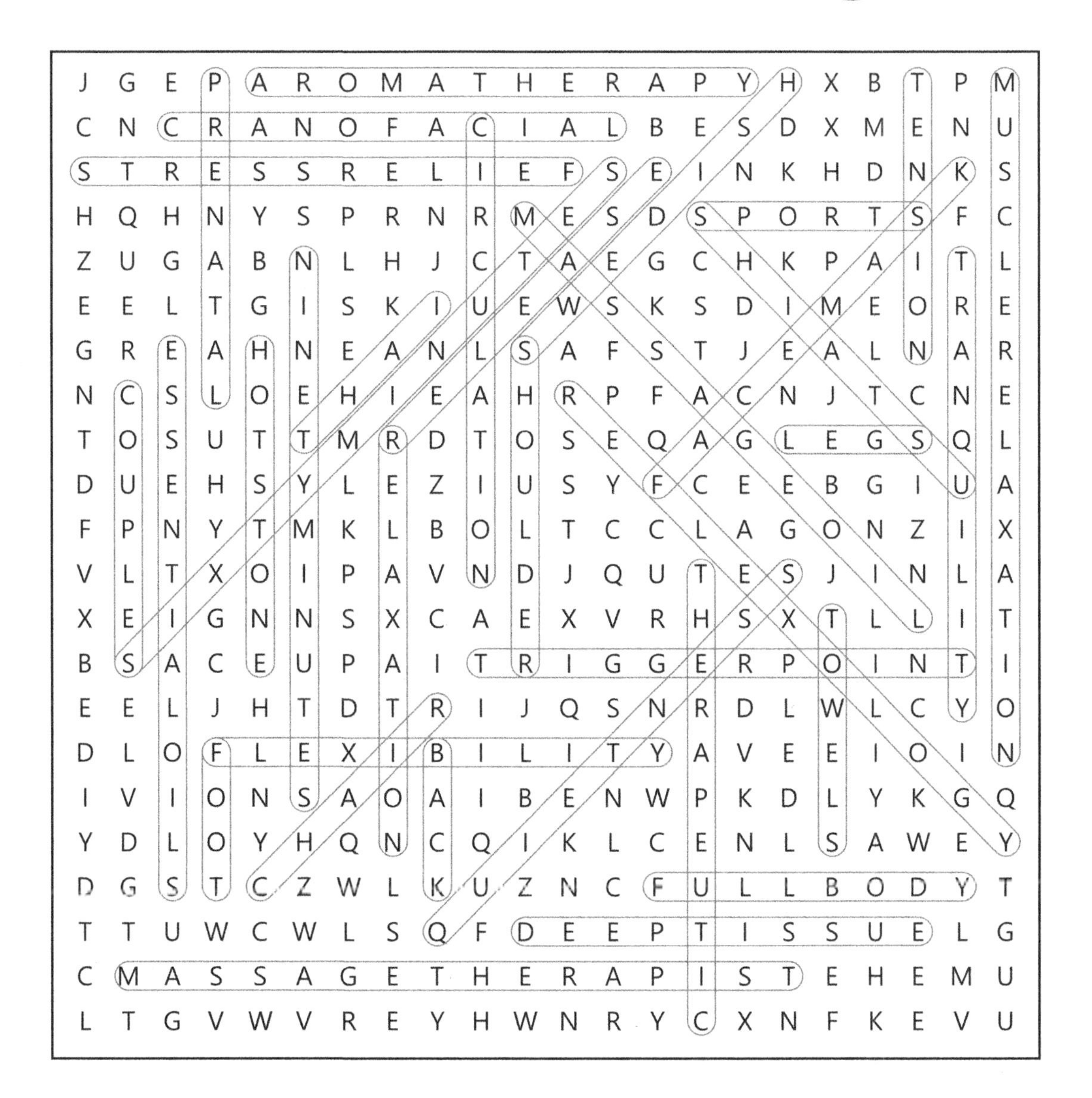

Aromatherapy
Back
Chair
Circulation
Couples
Cranofacial
Deep Tissue
Essential Oils
Face Mask
Flexibility
Foot
Full Body
Hot Stone
Legs
Massage Oil
Massage Therapist
Muscle Relaxation
Ninety Minutes
Prenatal
Quietness
Reflexology
Relaxation
Release
Shiatsu
Shoulder
Sixty Minutes
Sports
Stress Relief
Swedish
Tension
Thai
Therapeutic
Towels
Tranquility
Trigger Point

Girl's Night Out

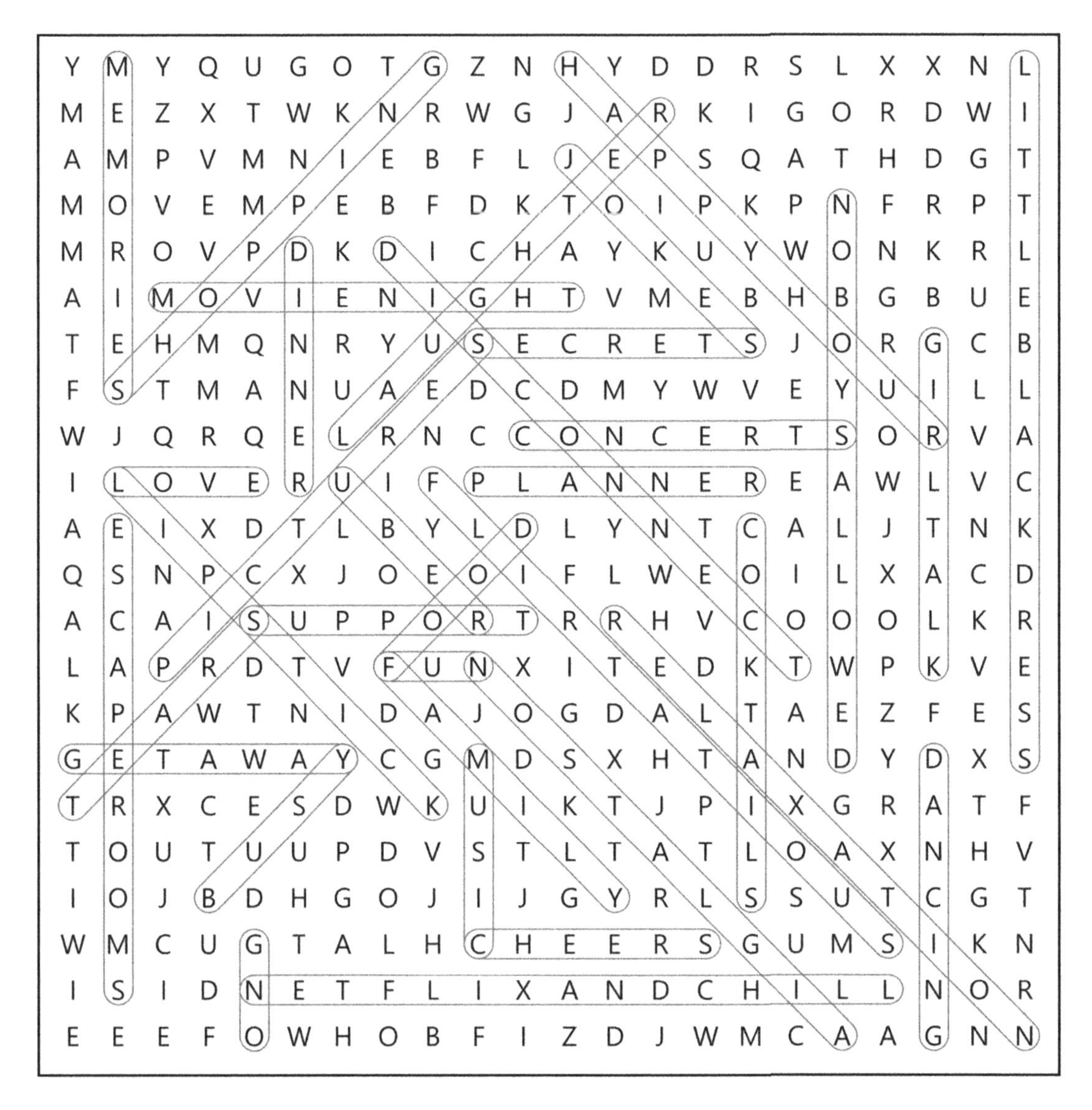

Busy
Cheers
Cocktails
Concerts
Dancing
Dinner
Disconnect
Escape Rooms
Family
Flirtatious
Food
Fun
Get-Away
Girl Talk
GNO
Happy Hour
Jokes
Laughter
Lipstick
Little Black Dress
Love
Memories
Movie Night
Music
Netflix And Chill
No Boys Allowed
Nostalgia
Pictures
Planner
Relaxation
Secrets
Shopping
Support
Tears
Uber

SUDOKU PUZZLES ANSWERS

Sudoku #001(Easy)

2	9	6	1	4	5	8	3	7
3	5	7	8	2	6	1	4	9
1	4	8	9	3	7	5	2	6
6	3	9	5	1	2	4	7	8
5	8	1	7	6	4	3	9	2
4	7	2	3	9	8	6	1	5
9	6	4	2	8	3	7	5	1
8	1	5	4	7	9	2	6	3
7	2	3	6	5	1	9	8	4

Sudoku #002 (Easy)

1	6	7	5	2	4	9	3	8
2	3	9	1	7	8	6	5	4
8	5	4	3	9	6	2	7	1
6	9	8	7	4	2	3	1	5
7	2	3	6	1	5	4	8	9
5	4	1	8	3	9	7	6	2
3	1	2	4	8	7	5	9	6
9	7	6	2	5	1	8	4	3
4	8	5	9	6	3	1	2	7

Sudoku #003 (Easy)

1	8	5	7	4	9	2	3	6
7	9	4	2	6	3	8	5	1
3	6	2	8	1	5	7	4	9
9	4	7	1	3	8	5	6	2
5	2	1	9	7	6	3	8	4
8	3	6	5	2	4	1	9	7
6	1	3	4	5	2	9	7	8
2	5	8	6	9	7	4	1	3
4	7	9	3	8	1	6	2	5

Sudoku #004 (Easy)

2	9	3	1	7	4	8	6	5
5	1	8	6	2	3	4	7	9
6	7	4	9	8	5	2	3	1
3	8	5	2	9	6	1	4	7
1	6	9	8	4	7	5	2	3
7	4	2	5	3	1	9	8	6
4	5	1	7	6	8	3	9	2
8	2	6	3	5	9	7	1	4
9	3	7	4	1	2	6	5	8

Sudoku #005 (Easy)

5	7	3	6	9	2	1	4	8
2	1	9	3	4	8	6	5	7
8	4	6	7	1	5	2	9	3
9	2	5	4	8	6	3	7	1
7	3	4	2	5	1	8	6	9
6	8	1	9	3	7	5	2	4
1	5	7	8	6	9	4	3	2
3	9	8	5	2	4	7	1	6
4	6	2	1	7	3	9	8	5

Sudoku #006 (Easy)

8	5	1	7	2	9	6	4	3
4	2	3	5	6	8	1	7	9
7	9	6	1	4	3	2	8	5
2	8	7	3	1	5	4	9	6
3	6	9	4	8	7	5	2	1
1	4	5	6	9	2	8	3	7
9	7	2	8	5	6	3	1	4
5	1	8	9	3	4	7	6	2
6	3	4	2	7	1	9	5	8

Sudoku #007 (Easy)

3	9	2	8	5	1	6	7	4
6	8	7	4	2	3	1	9	5
4	5	1	9	7	6	2	8	3
5	6	9	2	3	4	8	1	7
2	3	8	7	1	5	4	6	9
1	7	4	6	9	8	5	3	2
9	1	6	3	4	2	7	5	8
8	2	3	5	6	7	9	4	1
7	4	5	1	8	9	3	2	6

Sudoku #008 (Easy)

1	4	2	7	3	9	5	6	8
5	3	9	1	6	8	2	7	4
7	6	8	2	5	4	9	3	1
3	1	4	9	8	6	7	2	5
8	9	5	3	7	2	1	4	6
2	7	6	4	1	5	3	8	9
4	5	3	6	9	7	8	1	2
9	2	7	8	4	1	6	5	3
6	8	1	5	2	3	4	9	7

Sudoku #009 (Easy)

7	3	2	5	6	1	8	4	9
8	1	5	4	2	9	3	7	6
6	9	4	7	8	3	5	2	1
1	8	3	6	5	2	7	9	4
4	2	9	8	1	7	6	3	5
5	7	6	9	3	4	2	1	8
9	4	8	3	7	5	1	6	2
3	6	1	2	9	8	4	5	7
2	5	7	1	4	6	9	8	3

Sudoku #010 (Easy)

6	3	2	7	5	9	8	4	1
4	8	5	6	1	3	9	2	7
1	9	7	2	4	8	6	5	3
3	2	4	9	7	1	5	6	8
8	7	6	5	3	2	1	9	4
5	1	9	4	8	6	3	7	2
2	6	8	3	9	7	4	1	5
7	4	1	8	6	5	2	3	9
9	5	3	1	2	4	7	8	6

Sudoku #011 (Medium)

1	9	8	7	5	6	4	3	2
3	2	6	1	9	4	8	5	7
5	4	7	3	2	8	1	6	9
2	6	9	5	1	7	3	8	4
7	1	3	4	8	9	5	2	6
4	8	5	6	3	2	7	9	1
9	3	2	8	4	1	6	7	5
6	5	4	9	7	3	2	1	8
8	7	1	2	6	5	9	4	3

Sudoku #012 (Medium)

4	1	6	9	2	3	5	8	7
5	8	2	4	1	7	6	9	3
3	9	7	6	8	5	4	1	2
7	3	9	1	6	4	2	5	8
1	5	8	3	7	2	9	4	6
6	2	4	8	5	9	7	3	1
9	7	3	2	4	1	8	6	5
2	6	1	5	9	8	3	7	4
8	4	5	7	3	6	1	2	9

Sudoku #013 (Medium)

8	5	3	2	4	1	6	9	7
9	4	2	6	5	7	8	1	3
1	7	6	9	8	3	2	4	5
5	6	9	4	7	2	1	3	8
2	3	4	8	1	5	9	7	6
7	8	1	3	6	9	4	5	2
6	9	7	5	2	4	3	8	1
4	2	5	1	3	8	7	6	9
3	1	8	7	9	6	5	2	4

Sudoku #014 (Medium)

6	1	3	7	5	9	8	2	4
4	8	9	2	1	6	3	7	5
5	2	7	8	3	4	6	1	9
9	6	5	1	7	8	4	3	2
3	7	8	5	4	2	9	6	1
1	4	2	6	9	3	7	5	8
2	5	4	9	6	7	1	8	3
7	9	1	3	8	5	2	4	6
8	3	6	4	2	1	5	9	7

Sudoku #015 (Medium)

4	7	8	6	3	9	5	1	2
1	3	9	5	8	2	7	6	4
6	2	5	4	1	7	3	8	9
7	9	2	8	6	3	4	5	1
5	6	1	9	7	4	8	2	3
8	4	3	2	5	1	9	7	6
9	8	7	3	2	6	1	4	5
3	5	6	1	4	8	2	9	7
2	1	4	7	9	5	6	3	8

Sudoku #016 (Medium)

1	4	7	9	5	3	8	2	6
9	5	3	8	6	2	4	7	1
6	2	8	1	7	4	9	5	3
3	6	9	7	1	8	5	4	2
4	1	2	3	9	5	6	8	7
7	8	5	4	2	6	1	3	9
2	9	1	5	8	7	3	6	4
5	3	6	2	4	1	7	9	8
8	7	4	6	3	9	2	1	5

Sudoku #017 (Medium)

6	4	7	1	9	3	2	8	5
9	5	2	6	8	7	1	4	3
3	1	8	2	4	5	9	6	7
4	3	6	5	2	9	7	1	8
5	8	9	7	1	6	3	2	4
2	7	1	4	3	8	5	9	6
8	2	5	3	6	1	4	7	9
7	9	4	8	5	2	6	3	1
1	6	3	9	7	4	8	5	2

Sudoku #018 (Medium)

2	3	5	6	4	7	9	8	1
1	8	9	5	3	2	4	7	6
7	4	6	8	9	1	2	5	3
4	5	1	9	7	8	3	6	2
3	6	8	1	2	5	7	9	4
9	7	2	3	6	4	5	1	8
6	9	7	4	1	3	8	2	5
8	1	3	2	5	9	6	4	7
5	2	4	7	8	6	1	3	9

Sudoku #019 (Medium)

5	9	8	7	2	4	6	3	1
7	3	2	6	5	1	9	4	8
4	1	6	3	8	9	5	7	2
1	5	4	9	3	8	2	6	7
3	6	7	2	1	5	8	9	4
2	8	9	4	7	6	1	5	3
9	4	1	8	6	3	7	2	5
6	2	5	1	4	7	3	8	9
8	7	3	5	9	2	4	1	6

Sudoku #010 (Medium)

5	1	6	9	4	2	3	8	7
7	8	3	6	1	5	9	4	2
9	2	4	7	3	8	6	5	1
2	4	1	3	6	9	8	7	5
3	7	8	2	5	4	1	9	6
6	5	9	8	7	1	4	2	3
4	9	5	1	2	3	7	6	8
8	3	7	5	9	6	2	1	4
1	6	2	4	8	7	5	3	9

Sudoku #021 (Hard)

2	3	1	5	7	4	8	9	6
4	7	5	6	9	8	3	1	2
6	8	9	1	3	2	4	7	5
5	2	6	4	1	3	9	8	7
3	4	7	8	5	9	6	2	1
1	9	8	2	6	7	5	4	3
8	5	4	7	2	6	1	3	9
9	6	2	3	4	1	7	5	8
7	1	3	9	8	5	2	6	4

Sudoku #022 (Hard)

6	1	8	2	3	7	9	5	4
5	3	4	6	9	8	7	2	1
9	2	7	1	4	5	8	3	6
4	6	3	8	7	2	1	9	5
7	5	9	4	1	6	3	8	2
1	8	2	9	5	3	4	6	7
3	7	1	5	2	9	6	4	8
2	4	6	3	8	1	5	7	9
8	9	5	7	6	4	2	1	3

Sudoku #023 (Hard)

5	1	4	2	7	8	6	9	3
2	3	7	6	9	1	4	8	5
9	8	6	5	4	3	2	1	7
4	6	3	8	1	9	5	7	2
1	2	9	7	6	5	8	3	4
8	7	5	4	3	2	9	6	1
6	4	8	1	2	7	3	5	9
3	5	1	9	8	4	7	2	6
7	9	2	3	5	6	1	4	8

Sudoku #024 (Hard)

9	7	5	2	3	1	6	4	8
4	1	3	9	6	8	7	5	2
2	8	6	7	5	4	9	3	1
7	5	1	6	8	2	4	9	3
8	4	9	3	1	5	2	7	6
6	3	2	4	7	9	1	8	5
5	2	7	8	9	6	3	1	4
1	9	4	5	2	3	8	6	7
3	6	8	1	4	7	5	2	9

Sudoku #025 (Hard)

2	4	3	1	7	5	8	9	6
7	1	9	4	6	8	3	5	2
8	5	6	2	9	3	7	1	4
9	3	2	5	4	7	1	6	8
1	6	7	9	8	2	5	4	3
5	8	4	3	1	6	9	2	7
4	7	1	6	3	9	2	8	5
3	9	5	8	2	4	6	7	1
6	2	8	7	5	1	4	3	9

Sudoku #026 (Hard)

7	9	8	5	1	2	6	3	4
6	5	3	4	9	8	7	2	1
2	1	4	6	7	3	8	5	9
5	3	2	8	6	1	9	4	7
1	7	9	2	4	5	3	6	8
8	4	6	9	3	7	2	1	5
9	2	5	3	8	4	1	7	6
3	6	1	7	5	9	4	8	2
4	8	7	1	2	6	5	9	3

Sudoku #027 (Hard)

2	6	5	4	7	1	3	8	9
9	3	1	5	8	6	4	7	2
8	4	7	2	9	3	1	5	6
3	8	2	7	4	5	9	6	1
7	1	4	9	6	8	2	3	5
6	5	9	1	3	2	8	4	7
1	2	6	3	5	4	7	9	8
4	7	8	6	2	9	5	1	3
5	9	3	8	1	7	6	2	4

Sudoku #028 (Hard)

6	2	4	1	3	8	5	7	9
9	8	5	6	2	7	3	1	4
3	7	1	5	9	4	2	6	8
7	3	8	4	5	2	6	9	1
1	4	6	9	7	3	8	5	2
2	5	9	8	6	1	4	3	7
4	1	7	3	8	5	9	2	6
5	9	2	7	4	6	1	8	3
8	6	3	2	1	9	7	4	5

Sudoku #029 (Hard)

6	5	4	7	3	2	8	9	1
2	8	9	1	6	5	3	7	4
3	1	7	4	8	9	6	2	5
1	2	6	8	5	7	4	3	9
5	7	8	9	4	3	1	6	2
4	9	3	2	1	6	5	8	7
9	6	5	3	7	1	2	4	8
7	4	1	6	2	8	9	5	3
8	3	2	5	9	4	7	1	6

Sudoku #030 (Hard)

5	9	4	1	2	6	7	8	3
2	8	1	9	3	7	5	6	4
7	6	3	5	8	4	1	9	2
3	1	5	2	6	9	8	4	7
9	7	8	3	4	1	6	2	5
4	2	6	8	7	5	9	3	1
8	4	7	6	1	3	2	5	9
6	3	9	7	5	2	4	1	8
1	5	2	4	9	8	3	7	6

Bonus: Mental Health Awareness

Across

1. Socially detached and unresponsive
2. Apprehensive uneasiness or nervousness marked by physical signs (such as tension, sweating, and increase in pulse rate).
3. To make normal
4. To separate from others
5. A strong feeling of displeasure
6. A mood disorder marked especially by sadness, inactivity, decrease in appetite and concentration
7. The condition of being sound mentally and emotionally
8. Something that indicates the existence of something else
9. Treatment of impairment
10. A mark of shame or discredit

Down

11. Weariness or exhaustion
12. To inhale and exhale
13. The connections or lack thereof that one may have with other people
14. Inability to rest at night; insomnia
15. The act or process of informing or providing knowledge
16. To express feelings, ideas, or concepts
17. The body's reaction to a change that requires a physical, mental or emotional adjustment or response

Made in the USA
Coppell, TX
07 May 2021

55217967R20057